Ratolândia era o melhor lugar do mundo para um rato viver. Nunca faltava comida, os vizinhos se ajudavam e as crianças brincavam livremente, enquanto os mais velhos conversavam na varanda de suas tocas, liam jornal ou tricotavam.

JÁ OS JOVENS EXPLORAVAM AS REDONDEZAS.
— VAMOS! DESCOBRI UMA NOVA CAVERNA! — CONVOCAVA O LÍDER DA TURMA.
E, ASSIM, SE PASSAVAM OS DIAS NAQUELA ALEGRE E CALMA COLÔNIA DE RATOS, COM TODOS VIVENDO COMPLETAMENTE FELIZES.

MAS, UM DIA, UM GATO ENORME, DE PELO ERIÇADO E RABO COMPRIDO CHEGOU À VIZINHANÇA E A VIDA DOS RATOS VIROU DE CABEÇA PRA BAIXO. FOI UM ZUNZUNZUM DAQUELES!

— VIZINHA, PRECISO LHE CONTAR UMA COISA.
— O QUE FOI? ASSIM VOCÊ ME ASSUSTA!

— É DE DAR MEDO MESMO! UM GATO ESTÁ RONDANDO RATOLÂNDIA!

OS FOFOQUEIROS DE PLANTÃO LOGO SE ENCARREGARAM DE ESPALHAR A NOTÍCIA. E, EM POUCOS MINUTOS, O ALVOROÇO JÁ TINHA TOMADO CONTA DO VILAREJO.

OS MAIS VELHOS NÃO SAÍAM MAIS DAS TOCAS. MAS NÃO DEIXAVAM, É CLARO, DE LER O JORNAL.

— VEJA O QUE DIZ ESTA NOTÍCIA. É DE ARREPIAR OS PELOS! NA NOITE PASSADA, O GATO ATACOU QUATRO RATOS E NENHUM SOBREVIVEU — DIZIA O AVÔ PARA O SEU ATERRORIZADO NETO.

NA TOCA AO LADO, UMA SENHORA JÁ NÃO TOMAVA MAIS O CHÁ DAS SEIS COM OS AMIGOS, MAS NÃO PERDIA AS ÚLTIMAS NOVIDADES.

— VIOLETA, ABRA A FRESTINHA DA JANELA. VOCÊ TEM NOTÍCIAS DO FILHO DA VIZINHA DA ESQUINA? SOUBE QUE ELE NÃO VOLTOU MAIS PARA CASA.
— QUE MEDO! EU QUE NÃO SAIO DA MINHA TOCA. CRIANÇAS E JOVENS TAMBÉM TIVERAM QUE FICAR EM CASA, SEM PODEREM BRINCAR JUNTOS.

A TRISTEZA TOMOU CONTA DE RATOLÂNDIA. POUCOS SE ARRISCAVAM A COLOCAR A CARA NA RUA. E SÓ EM CASO DE EXTREMA NECESSIDADE!
— SEJA O MAIS DISCRETO POSSÍVEL. FALE BAIXO E ANDE LIGEIRO. AFINAL, TODO CUIDADO É POUCO QUANDO SE TRATA DO TAL GATO — RECOMENDAVA A MAMÃE PARA O FILHO JÁ CRESCIDO.

— ISSO NÃO PODE CONTINUAR ASSIM! TEMOS QUE FAZER ALGUMA COISA OU PASSAREMOS O RESTO DE NOSSAS VIDAS COM MEDO DESTE GATO — DESABAFOU, EM ALTO E BOM SOM, UM JOVEM RATO.

TODOS FORAM VER QUEM FALAVA EM ACABAR COM O TERROR QUE AMEAÇAVA RATOLÂNDIA. AS CRIANÇAS OLHAVAM PARA OS PAIS, NA ESPERANÇA DE QUE AQUELAS PALAVRAS TROUXESSEM A ESPERANÇA DE LIBERDADE DE VOLTA.

— QUE SAUDADE DE BRINCAR DE ESCONDE-
-ESCONDE LÁ FORA — DIZIA UM RATINHO QUE SAIU CORRENDO PARA SE JUNTAR À MULTIDÃO

DE JOVENS QUE SE FORMOU EM VOLTA DO VALENTE RATO.
— UNIDOS VENCEREMOS! UNIDOS VENCEREMOS! — CANTAVAM EM CORO, POIS ACREDITAVAM QUE, JUNTOS, ELES FINALMENTE CONSEGUIRIAM AFUGENTAR O FELINO.

ENTÃO, OS RATOS MAIS VELHOS CONVOCARAM AS FAMÍLIAS PARA UMA ASSEMBLEIA. TODOS PODERIAM DAR SUA OPINIÃO SOBRE COMO ENFRENTAR O TERRÍVEL GATO E ACABAR COM AQUELE RATICÍDIO.

— QUE TAL O ATACARMOS EM GRUPO QUANDO ELE ESTIVER DORMINDO? — SUGERIU ALGUÉM.

— E SE ELE ACORDAR QUANDO CHEGARMOS PERTO? — QUESTIONOU O MAIS VELHO DOS RATOS.

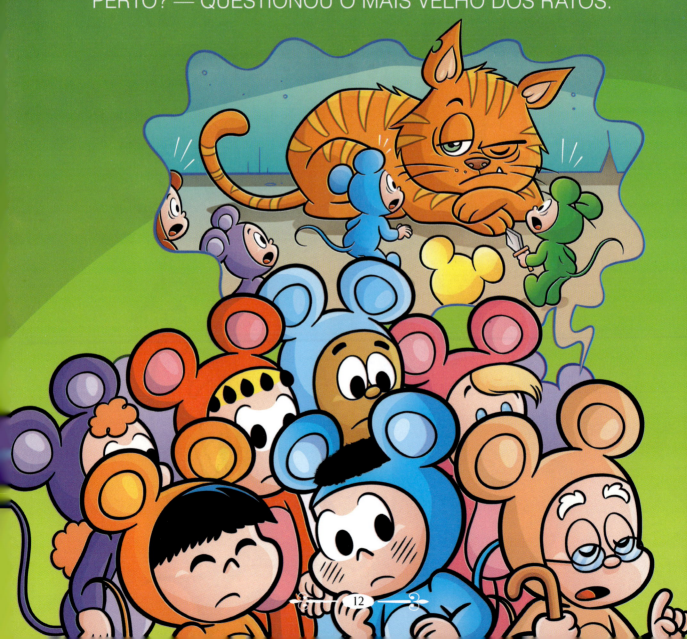

— EU QUE NÃO IRIA DE JEITO NENHUM! — RESPONDEU O RATO MAIS MEDROSO DE TODOS, JÁ SE ESCONDENDO AO FUNDO.

— EU ACHO QUE SERIA MELHOR ENVENENAR A COMIDA DELE — DISSE UM QUE, ATÉ ENTÃO, ESTAVA CALADO NO CANTINHO.

— ORA, ORA... COMO VAMOS ENCONTRAR VENENO POR AQUI SE MAL PODEMOS SAIR PARA BUSCAR COMIDA? — QUESTIONOU O SÁBIO.

UNS DIZIAM QUE NINGUÉM DEVIA SAIR DAS TOCAS ENQUANTO O GATO ESTIVESSE EM RATOLÂNDIA. OUTROS RETRUCAVAM QUE ELE PODIA FICAR POR LÁ PARA SEMPRE! E NINGUÉM SE ENTENDIA, POIS TODOS ESTAVAM UNIDOS APENAS PELO MEDO.

MAS, DE REPENTE, UM JOVEM TEVE UMA BRILHANTE IDEIA:

— QUE TAL SE COLOCARMOS ESTE GUIZO NO PESCOÇO DO GATO? ASSIM, SEMPRE QUE ELE SE APROXIMAR, VAMOS OUVI-LO CHEGAR.

— BOA! — APLAUDIU O AMIGO.

— DAÍ PODEREMOS FUGIR A TEMPO — COMPLETOU UM OUTRO.

OS RATOS MAIS VELHOS PROPUSERAM UMA VOTAÇÃO E A IDEIA LOGO FOI APROVADA POR TODOS! OU MELHOR, QUASE TODOS.

— O PLANO É INTELIGENTE E OUSADO! MAS QUEM, ENTRE NÓS, TERÁ CORAGEM PARA COLOCAR O GUIZO NO INIMIGO? QUEM? — PERGUNTOU UM VELHINHO, QUE ATÉ ENTÃO ESTAVA CALADO.

ENTÃO, COMEÇOU UMA CORRERIA DAQUELAS, E NÃO SOBROU NINGUÉM PRA CONTAR HISTÓRIA. MUITO MENOS PARA SE CANDIDATAR ÀQUELA NOBRE MISSÃO DE SALVAR A COLÔNIA DO TAL GATO!